Honoré de Balzac

L'Auberge rouge

Édition d'Adrien Goetz

Gallimard

Cette nouvelle est extraite du recueil *Le Chef-d'œuvre inconnu*
et autres nouvelles (Folio n° 2577).

Honoré Balzac naît à Tours le 20 mai 1799. Sa mère appartient à la bourgeoisie parisienne et son père est clerc du procureur avant de devenir secrétaire au conseil du roi. L'année suivante naît sa sœur Laure qui sera toujours sa plus proche confidente. En 1814, la famille Balzac s'installe à Paris. Le jeune Honoré commence des études de droit avant de devenir clerc de notaire. Mais dès 1819, il change de carrière, s'installe dans une mansarde rue de Lesdiguières et décide de se consacrer à l'écriture : ses premiers essais littéraires paraissent sous divers pseudonymes. Les années suivantes, il vit une liaison avec Laure de Berny, duchesse d'Abrantès, de vingt-deux ans son aînée, dont il resta proche toute sa vie et rencontre les artistes de son époque comme Eugène Delacroix. Après s'être essayé sans beaucoup de succès (et surtout avec beaucoup de dettes !) à l'édition et à l'imprimerie, il revient à l'écriture et, en 1829, publie avec succès deux romans : *Le Dernier Chouan ou la Bretagne en 1800* (qui deviendra par la suite *Les Chouans*) et *Physiologie du mariage*. Dès lors, les parutions se succèdent : *Étude de femme, La Maison du Chat-qui-pelote, Sarrasine, Le Chef-d'œuvre inconnu, La Peau de chagrin, L'Auberge rouge, Maître Cornélius...* En plus de son impressionnante production littéraire, il mène une vie très mondaine dans les salons parisiens et collabore à plusieurs revues. Toujours à l'affût de nouveaux projets, il cherche à devenir riche mais ses investissements le conduisent souvent au bord de la faillite. En 1831, il rassemble *La Peau de chagrin* et douze autres récits dans trois volumes, *Romans et contes philosophiques*. Il fait la connaissance de Théophile Gautier et devient l'amant d'Olympe Pélissier, future femme de Rossini. Fin 1833, paraissent *Eugénie Grandet* et *Le Curé de Tours*. Quelques mois plus tard, il rencontre sa mystérieuse correspondante qui signait ses lettres éperdues d'admiration du nom de « l'Étrangère », la comtesse polonaise Ève Hanska qui devient sa maîtresse. Il publie ensuite *Le Lys dans la vallée* et commence à écrire *César Birotteau* et les *Illusions perdues*. Il signe un contrat avec l'éditeur Furne pour ce qui s'intitulera désormais *La Comédie humaine*. Dix-sept volumes paraîtront entre 1842 et 1848. En 1843, il rejoint à Saint-Pétersbourg Ève Hanska, devenue veuve ; il fera plusieurs séjours en Russie auprès de sa maîtresse avant de l'épouser en 1850. Balzac, malade, épuisé, meurt quelques mois plus tard, le 18 août 1850, rue Fortunée, l'actuelle rue Balzac. Victor Hugo a prononcé son éloge funèbre. Il est enterré au cimetière du Père-Lachaise.

Découvrez, lisez ou relisez les livres d'Honoré de Balzac :

BÉATRIX (Folio n° 1123)

LE CABINET DES ANTIQUES (Folio n° 3085)

CÉSAR BIROTTEAU (Folio n° 703)

LE CHEF-D'ŒUVRE INCONNU et autres nouvelles (Folio n° 2577)

LES CHOUANS (Folio n° 84)

LE COLONEL CHABERT (Folio n° 3298)

LE COLONEL CHABERT *suivi d'*EL VERDUGO, *d'*ADIEU *et de* LE RÉQUISITIONNAIRE (Folio n° 593)

LE COUSIN PONS (Folio n° 380)

LA COUSINE BETTE (Folio n° 138)

LE CURÉ DE TOURS (Folio n° 717)

LE CURÉ DE VILLAGE (Folio n° 659)

UN DÉBUT DANS LA VIE (Folio n° 3808)

UNE DOUBLE FAMILLE (Folio n° 302)

LA DUCHESSE DE LANGEAIS (Folio n° 346)

LES EMPLOYÉS (Folio n° 1669)

L'ENVERS DE L'HISTOIRE CONTEMPORAINE (Folio n° 1506)

EUGÉNIE GRANDET (Folio n° 3217)

LA FEMME DE TRENTE ANS (Folio n° 951)

FERRAGUS (Folio n° 3567)

UNE FILLE D'ÈVE (Folio n° 1202)

ILLUSIONS PERDUES (Folio n° 62)

LOUIS LAMBERT — LES PROSCRITS — JÉSUS-CHRIST EN FLANDRES (Folio n° 1161)

LE LYS DANS LA VALLÉE (Folio n° 112)

LA MAISON DU CHAT-QUI-PELOTE (Folio n° 1441)

LA MAISON NUCINGEN (Folio n° 1957)

LE MÉDECIN DE CAMPAGNE (Folio n° 636)

MÉMOIRES DE DEUX JEUNES MARIÉES (Folio n° 1268)

MODESTE MIGNON (Folio n° 1360)

LA MUSE DU DÉPARTEMENT (Folio n° 1542)

LES PAYSANS (Folio n° 675)

LA PEAU DE CHAGRIN (Folio n° 555)

LE PÈRE GORIOT (Folio n° 3226)

PHYSIOLOGIE DU MARIAGE (Folio n° 1832)

LA RABOUILLEUSE (Folio n° 163)

LA RECHERCHE DE L'ABSOLU (Folio n° 739)

SARRASINE — GAMBARA — MASSIMILLA DONI (Folio n° 2817)

LES SECRETS DE LA PRINCESSE DE CADIGNAN ET AUTRES ÉTUDES DE FEMME (Folio n° 1250)

SPLENDEURS ET MISÈRES DES COURTISANES (Folio n° 405)

UNE TÉNÉBREUSE AFFAIRE (Folio n° 468)

URSULE MIROUËT (Folio n° 1300)

LA VIEILLE FILLE (Folio n° 1024)

À monsieur le marquis de Custine[1]

En je ne sais quelle année, un banquier de Paris, qui avait des relations commerciales très étendues en Allemagne, fêtait un de ces amis, longtemps inconnus, que les négociants se font de place en place, par correspondance. Cet ami, chef de je ne sais quelle maison assez importante de Nuremberg, était un bon gros Allemand, homme de goût et d'érudition, homme de pipe surtout, ayant une belle, une large figure nurembergeoise, au front carré, bien découvert, et décoré de quelques cheveux blonds assez rares. Il offrait le type des enfants de cette pure et noble Germanie, si fertile en caractères honorables, et dont les paisibles mœurs ne se sont jamais démenties, même après sept invasions. L'étranger riait avec simplesse, écoutait attentivement, et

1. Astolphe de Custine (1790-1857), le brillant auteur de *La Russie en 1839*, publiée en 1843.

buvait remarquablement bien, en paraissant aimer le vin de Champagne autant peut-être que les vins paillés du Johannisberg[1]. Il se nommait Hermann, comme presque tous les Allemands mis en scène par les auteurs. En homme qui ne sait rien faire légèrement, il était bien assis à la table du banquier, mangeait avec ce tudesque appétit si célèbre en Europe, et disait un adieu consciencieux à la cuisine du grand CARÊME. Pour faire honneur à son hôte, le maître du logis avait convié quelques amis intimes, capitalistes ou commerçants, plusieurs femmes aimables, jolies, dont le gracieux babil et les manières franches étaient en harmonie avec la cordialité germanique. Vraiment, si vous aviez pu voir, comme j'en eus le plaisir, cette joyeuse réunion de gens qui avaient rentré leurs griffes commerciales pour spéculer sur les plaisirs de la vie, il vous eût été difficile de haïr les escomptes usuraires ou de maudire les faillites. L'homme ne peut pas toujours mal faire. Aussi, même dans la société des pirates, doit-il se rencontrer quelques heures douces pendant lesquelles vous croyez être, dans leur sinistre vaisseau, comme sur une escarpolette.

« Avant de nous quitter, monsieur Hermann va nous raconter encore, je l'espère, une histoire allemande qui nous fasse bien peur. »

---

1. Le vin paillé ou paillet est ainsi désigné à cause de sa couleur qui rappelle celle de la paille.

Ces paroles furent prononcées au dessert par une jeune personne pâle et blonde qui, sans doute, avait lu les contes d'Hoffmann et les romans de Walter Scott. C'était la fille unique du banquier, ravissante créature dont l'éducation s'achevait au Gymnase[1], et qui raffolait des pièces qu'on y joue. En ce moment, les convives se trouvaient dans cette heureuse disposition de paresse et de silence où nous met un repas exquis, quand nous avons un peu trop présumé de notre puissance digestive. Le dos appuyé sur sa chaise, le poignet légèrement soutenu par le bord de la table, chaque convive jouait indolemment avec la lame dorée de son couteau. Quand un dîner arrive à ce moment de déclin, certaines gens tourmentent le pépin d'une poire ; d'autres roulent une mie de pain entre le pouce et l'index ; les amoureux tracent des lettres informes avec les débris des fruits ; les avares comptent leurs noyaux et les rangent sur leur assiette comme un dramaturge dispose ses comparses au fond d'un théâtre. C'est de petites félicités gastronomiques dont n'a pas tenu compte dans son livre Brillat-Savarin[2], auteur si complet d'ailleurs. Les valets avaient disparu. Le dessert était comme une escadre après le combat, tout désemparé, pillé, flétri. Les plats

1. Le Gymnase : non le *gymnasium* germanique, qui désigne un lycée, mais le théâtre de boulevard qui porte ce nom.
2. *La Physiologie du goût* d'Anthelme Brillat-Savarin (1755-1826) fut rééditée en 1839 avec le *Traité des excitants modernes* de Balzac.

erraient sur la table, malgré l'obstination avec laquelle la maîtresse du logis essayait de les faire remettre en place. Quelques personnes regardaient des vues de Suisse symétriquement accrochées sur les parois grises de la salle à manger. Nul convive ne s'ennuyait. Nous ne connaissons point d'homme qui se soit encore attristé pendant la digestion d'un bon dîner. Nous aimons alors à rester dans je ne sais quel calme, espèce de juste milieu entre la rêverie du penseur et la satisfaction des animaux ruminants, qu'il faudrait appeler la mélancolie matérielle de la gastronomie. Aussi les convives se tournèrent-ils spontanément vers le bon Allemand, enchantés tous d'avoir une ballade à écouter, fût-elle même sans intérêt. Pendant cette benoîte pause, la voix d'un conteur semble toujours délicieuse à nos sens engourdis, elle en favorise le bonheur négatif. Chercheur de tableaux, j'admirais ces visages égayés par un sourire, éclairés par les bougies, et que la bonne chère avait empourprés ; leurs expressions diverses produisaient de piquants effets à travers les candélabres, les corbeilles en porcelaine, les fruits et les cristaux.

Mon imagination fut tout à coup saisie par l'aspect du convive qui se trouvait précisément en face de moi. C'était un homme de moyenne taille, assez gras, rieur, qui avait la tournure, les manières d'un agent de change, et qui paraissait n'être doué que d'un esprit fort ordinaire,

je ne l'avais pas encore remarqué ; en ce moment, sa figure, sans doute assombrie par un
faux jour, me parut avoir changé de caractère ;
elle était devenue terreuse ; des teintes violâtres
la sillonnaient. Vous eussiez dit de la tête cada-
vérique d'un agonisant. Immobile comme les
personnages peints dans un Diorama[1], ses yeux
hébétés restaient fixés sur les étincelantes fa-
cettes d'un bouchon de cristal ; mais il ne les
comptait certes pas, et semblait abîmé dans quelque contemplation fantastique de l'avenir ou
du passé. Quand j'eus longtemps examiné cette
face équivoque, elle me fit penser : « Souffre-
t-il ? me dis-je. A-t-il trop bu ? Est-il ruiné par la
baisse des fonds publics ? Songe-t-il à jouer ses
créanciers ? »

« Voyez ! dis-je à ma voisine en lui montrant
le visage de l'inconnu, n'est-ce pas une faillite
en fleur ?

— Oh ! me répondit-elle, il serait plus gai. »
Puis, hochant gracieusement la tête, elle ajouta :
« Si celui-là se ruine jamais, je l'irai dire à
Pékin ! Il possède un million en fonds de terre !
C'est un ancien fournisseur des armées impé-
riales[2], un bon homme assez original. Il s'est
remarié par spéculation, et rend néanmoins sa

1. Le Diorama connaît un grand succès à l'époque. Daguerre
et Bouton avaient inventé cette attraction, ouverte en 1822 : elle
permettait de voir s'animer des paysages, sortes de trompe-l'œil
peints comme des décors de théâtre, grâce à des jeux de lumière ; mais les personnages y restaient en effet « immobiles ».
2. « Fournisseurs des armées impériales » : le père de Balzac,
directeur des vivres de la division militaire de Tours, avait été en

15

femme extrêmement heureuse. Il a une jolie fille que, pendant fort longtemps, il n'a pas voulu reconnaître ; mais la mort de son fils, tué malheureusement en duel, l'a contraint à la prendre avec lui, car il ne pouvait plus avoir d'enfants. La pauvre fille est ainsi devenue tout à coup une des plus riches héritières de Paris. La perte de son fils unique a plongé ce cher homme dans un chagrin qui reparaît quelquefois. »

En ce moment, le fournisseur leva les yeux sur moi ; son regard me fit tressaillir, tant il était sombre et pensif ! Assurément ce coup d'œil résumait toute une vie. Mais tout à coup sa physionomie devint gaie ; il prit le bouchon de cristal, le mit, par un mouvement machinal, à une carafe pleine d'eau qui se trouvait devant son assiette, et tourna la tête vers M. Hermann en souriant. Cet homme, béatifié par ses jouissances gastronomiques, n'avait sans doute pas deux idées dans la cervelle, et ne songeait à rien. Aussi eus-je, en quelque sorte, honte de prodiguer ma science divinatoire *in anima vili*[1] d'un épais financier. Pendant que je faisais, en pure perte, des observations phrénologiques[2], le bon Allemand s'était lesté le nez d'une prise de ta-

rapport avec le fournisseur Doumerc. Cette catégorie de fonctionnaires avait la réputation de s'être considérablement enrichie sous l'Empire.

1. *In anima vili* : « sur l'âme vile ».
2. Balzac croit en la phrénologie qui permet de déduire les caractères d'après la forme des crânes.

bac, et commençait son histoire. Il me serait assez difficile de la reproduire dans les mêmes termes, avec ses interruptions fréquentes et ses digressions verbeuses. Aussi l'ai-je écrite à ma guise, laissant les fautes au Nurembergeois, et m'emparant de ce qu'elle peut avoir de poétique et d'intéressant, avec la candeur des écrivains qui oublient de mettre au titre de leurs livres : *traduit de l'allemand.*

L'IDÉE ET LE FAIT

« Vers la fin de vendémiaire, an VII, époque républicaine qui, dans le style actuel, correspond au 20 octobre 1799, deux jeunes gens, partis de Bonn dès le matin, étaient arrivés à la chute du jour aux environs d'Andernach, petite ville située sur la rive gauche du Rhin, à quelques lieues de Coblentz. En ce moment, l'armée française commandée par le général Augereau[1] manœuvrait en présence des Autrichiens, qui occupaient la rive droite du fleuve. Le quartier général de la division républicaine était à Coblentz, et l'une des demi-brigades appartenant au corps d'Augereau se trouvait cantonnée à

1. Le général Augereau (1757-1816), qui commanda en effet l'armée de Rhin-et-Moselle, se trouvait alors à Paris.

Andernach. Les deux voyageurs étaient Français. À voir leurs uniformes bleus mélangés de blanc, à parements de velours rouge, leurs sabres, surtout le chapeau couvert d'une toile cirée verte, et orné d'un plumet tricolore, les paysans allemands eux-mêmes auraient reconnu des chirurgiens militaires, hommes de science et de mérite, aimés pour la plupart, non seulement à l'armée, mais encore dans les pays envahis par nos troupes. À cette époque, plusieurs enfants de famille arrachés à leur stage médical par la récente loi sur la conscription due au général Jourdan avaient naturellement mieux aimé continuer leurs études sur le champ de bataille que d'être astreints au service militaire, peu en harmonie avec leur éducation première et leurs paisibles destinées. Hommes de science, pacifiques et serviables, ces jeunes gens faisaient quelque bien au milieu de tant de malheurs, et sympathisaient avec les érudits des diverses contrées par lesquelles passait la cruelle civilisation de la République. Armés, l'un et l'autre, d'une feuille de route et munis d'une commission de *sous-aide* signée Coste et Bernadotte[1], ces deux jeunes gens se rendaient à la demi-brigade à laquelle ils étaient attachés. Tous deux appartenaient à des familles bourgeoises de Beauvais

1. Jean-François Coste (1741-1819), premier médecin des armées, médecin en chef de l'Hôtel des Invalides. Bernadotte (1763-1844), qui avait dans sa giberne son bâton de maréchal et la couronne de Suède, était alors ministre de la Guerre.

médiocrement riches, mais où les mœurs douces et la loyauté des provinces se transmettaient comme une partie de l'héritage. Amenés sur le théâtre de la guerre avant l'époque indiquée pour leur entrée en fonctions, par une curiosité bien naturelle aux jeunes gens, ils avaient voyagé par la diligence jusqu'à Strasbourg. Quoique la prudence maternelle ne leur eût laissé emporter qu'une faible somme, ils se croyaient riches en possédant quelques louis, véritable trésor dans un temps où les assignats étaient arrivés au dernier degré d'avilissement, et où l'or valait beaucoup d'argent. Les deux sous-aides, âgés de vingt ans au plus, obéirent à la poésie de leur situation avec tout l'enthousiasme de la jeunesse. De Strasbourg à Bonn, ils avaient visité l'Électorat et les rives du Rhin en artistes, en philosophes, en observateurs. Quand nous avons une destinée scientifique, nous sommes à cet âge des êtres véritablement multiples. Même en faisant l'amour, ou en voyageant, un sous-aide doit thésauriser les rudiments de sa fortune ou de sa gloire à venir. Les deux jeunes gens s'étaient donc abandonnés à cette admiration profonde dont sont saisis les hommes instruits à l'aspect des rives du Rhin et des paysages de la Souabe, entre Mayence et Cologne ; nature forte, riche, puissamment accidentée, pleine de souvenirs féodaux, verdoyante, mais qui garde en tous lieux les empreintes du fer et du feu. Louis XIV et Turenne ont cautérisé cette ravissante contrée. Çà et là, des ruines attestent l'orgueil, ou peut-être la prévoyance du roi de Versailles qui fit abattre les admirables châteaux dont était jadis ornée cette partie de l'Allemagne. En voyant cette terre merveilleuse, couverte de forêts, et où le pittoresque du Moyen Âge abonde, mais en ruines, vous concevez le génie allemand, ses rêveries et son mysticisme. Cependant le séjour des deux amis à Bonn avait un but de science et de plaisir tout à la fois. Le grand hôpital de l'armée gallo-batave et de la division d'Augereau était établi dans le palais même de l'Électeur. Les sous-aides de fraîche date y étaient donc allés voir des camarades, remettre des lettres de recommandation à leurs chefs, et s'y familiariser avec les premières impressions de leur métier. Mais aussi, là, comme ailleurs, ils dépouillèrent quelques-uns de ces préjugés exclusifs auxquels nous restons si longtemps fidèles en faveur des monuments et des beautés de notre pays natal. Surpris à l'aspect des colonnes de marbre dont est orné le palais électoral, ils allèrent admirant le grandiose des constructions allemandes, et trouvèrent à chaque pas de nouveaux trésors antiques ou modernes. De temps en temps, les chemins dans lesquels erraient les deux amis en se dirigeant vers Andernach les amenaient sur le piton d'une montagne de granit plus élevée que les autres. Là, par une découpure de la forêt, par une anfractuosité des rochers, ils apercevaient quelque vue du Rhin encadrée dans le grès ou festonnée par de vigoureuses végétations. Les vallées, les sentiers, les arbres exhalaient cette senteur automnale qui porte à la rêverie ; les cimes des bois commençaient à se dorer, à prendre des tons chauds et bruns, signes de vieillesse ; les feuilles tombaient, mais le ciel était encore d'un bel azur, et les chemins, secs, se dessinaient comme des lignes jaunes dans le paysage, alors éclairé par les obliques rayons du soleil couchant. À une demi-lieue d'Andernach, les deux amis marchèrent au milieu d'un profond silence, comme si la guerre ne dévastait pas ce beau pays, et suivirent un chemin pratiqué pour les chèvres à travers les hautes murailles de granit bleuâtre entre lesquelles le Rhin bouillonne. Bientôt ils descendirent par un des versants de la gorge au fond de laquelle se trouve la petite ville, assise avec coquetterie au bord du fleuve, où elle offre un joli port aux mariniers. "L'Allemagne est un bien beau pays", s'écria l'un des deux jeunes gens, nommé Prosper Magnan, à l'instant où il entrevit les maisons peintes d'Andernach, pressées comme des œufs dans un panier, séparées par des arbres, par des jardins et des fleurs. Puis il admira pendant un moment les toits pointus à solives saillantes, les escaliers de bois, les galeries de mille habitations paisibles, et les barques balancées par les flots dans le port... »

Au moment où M. Hermann prononça le nom de Prosper Magnan, le fournisseur saisit la carafe, se versa de l'eau dans son verre, et le vida d'un trait. Ce mouvement ayant attiré mon attention, je crus remarquer un léger tremblement dans ses mains et de l'humidité sur le front du capitaliste.

« Comment se nomme l'ancien fournisseur ? demandai-je à ma complaisante voisine.

— Taillefer, me répondit-elle.

— Vous trouvez-vous indisposé ? m'écriai-je en voyant pâlir ce singulier personnage.

— Nullement, dit-il en me remerciant par un geste de politesse. J'écoute, ajouta-t-il en faisant un signe de tête aux convives, qui le regardèrent tous simultanément.

— J'ai oublié, dit M. Hermann, le nom de l'autre jeune homme. Seulement, les confidences de Prosper Magnan m'ont appris que son compagnon était brun, assez maigre et jovial. Si vous le permettez, je l'appellerai Wilhem, pour donner plus de clarté au récit de cette histoire. »

Le bon Allemand reprit sa narration après avoir ainsi, sans respect pour le romantisme et la couleur locale, baptisé le sous-aide français d'un nom germanique.

« Au moment où les deux jeunes gens arrivèrent à Andernach, il était donc nuit close. Présumant qu'ils perdraient beaucoup de temps à trouver leurs chefs, à s'en faire reconnaître, à obtenir d'eux un gîte militaire dans une ville déjà pleine de soldats, ils avaient résolu de passer leur dernière nuit de liberté dans une auberge située à une centaine de pas d'Andernach, et de laquelle ils avaient admiré, du haut des rochers, les riches couleurs embellies par les feux du soleil couchant. Entièrement peinte en rouge, cette auberge produisait un piquant effet dans le paysage, soit en se détachant sur la masse générale de la ville, soit en opposant son large rideau de pourpre à la verdure des différents feuillages, et sa teinte vive aux tons grisâtres de l'eau. Cette maison devait son nom à la décoration extérieure qui lui avait été sans doute imposée depuis un temps immémorial par le caprice de son fondateur. Une superstition mercantile assez naturelle aux différents possesseurs de ce logis, renommé parmi les mariniers du Rhin, en avait fait soigneusement conserver le costume. En entendant le pas des chevaux, le maître de *L'Auberge rouge* vint sur le seuil de la porte. "Par Dieu, s'écria-t-il, messieurs, un peu plus tard vous auriez été forcés de coucher à la belle étoile, comme la plupart de vos compatriotes qui bivouaquent de l'autre côté d'Andernach. Chez moi, tout est occupé ! Si vous tenez à coucher dans un bon lit, je n'ai plus que ma propre chambre à vous offrir. Quant à vos chevaux, je vais leur faire mettre une litière dans un coin de la cour. Aujourd'hui, mon écurie est pleine de chrétiens. — Ces messieurs viennent de France ? reprit-il après une légère pause. — De Bonn, s'écria Prosper. Et nous n'avons encore rien mangé depuis ce matin.

« — Oh ! quant aux vivres ! dit l'aubergiste en hochant la tête. On vient de dix lieues à la ronde faire des noces à *L'Auberge rouge*. Vous allez avoir un festin de prince, le poisson du Rhin ! c'est tout dire." Après avoir confié leurs montures fatiguées aux soins de l'hôte, qui appelait assez inutilement ses valets, les sous-aides entrèrent dans la salle commune de l'auberge. Les nuages épais et blanchâtres exhalés par une nombreuse assemblée de fumeurs ne leur permirent pas de distinguer d'abord les gens avec lesquels ils allaient se trouver ; mais lorsqu'ils se furent assis près d'une table, avec la patience pratique de ces voyageurs philosophes qui ont reconnu l'inutilité du bruit, ils démêlèrent, à travers les vapeurs du tabac, les accessoires obligés d'une auberge allemande : le poêle, l'horloge, les tables, les pots de bière, les longues pipes ; çà et là des figures hétéroclites, juives, allemandes ; puis les visages rudes de quelques mariniers. Les épaulettes de plusieurs officiers français étincelaient dans ce brouillard, et le cliquetis des éperons et des sabres retentissait incessamment sur le carreau. Les uns jouaient aux cartes, d'autres se disputaient, se taisaient, mangeaient, buvaient ou se promenaient. Une grosse petite femme, ayant le bonnet de velours noir, la pièce d'estomac bleu et argent, la pelote, le trousseau de clefs, l'agrafe d'argent, les cheveux tressés, marques distinctives de toutes les maîtresses d'auberges allemandes, et dont le costume est, d'ailleurs, si exactement colorié dans une foule d'estampes, qu'il est trop vulgaire pour être décrit, la femme de l'aubergiste donc, fit patienter et impatienter les deux amis avec une habileté fort remarquable. Insensiblement le bruit diminua, les voyageurs se retirèrent, et le nuage de fumée se dissipa. Lorsque le couvert des sous-aides fut mis, que la classique carpe du Rhin parut sur la table, onze heures sonnaient, et la salle était vide. Le silence de la nuit laissait entendre vaguement, et le bruit que faisaient les chevaux en mangeant leur provende ou en piaffant, et le murmure des eaux du Rhin, et ces espèces de rumeurs indéfinissables qui animent une auberge pleine quand chacun s'y couche. Les portes et les fenêtres s'ouvraient et se fermaient, des voix murmuraient de vagues paroles, et quelques interpellations retentissaient dans les chambres. En ce moment de silence et de tumulte, les deux Français, et l'hôte occupé à leur vanter Andernach, le repas, son vin du Rhin, l'armée républicaine et sa femme, écoutèrent avec une sorte d'intérêt les cris rauques de quelques mariniers et les bruissements d'un bateau qui abordait au port. L'aubergiste, familiarisé sans doute avec les interrogations gutturales de ces bateliers, sortit précipitamment, et revint bientôt. Il ramena un gros petit homme derrière lequel marchaient deux mariniers portant une lourde valise et quelques ballots. Ses paquets déposés dans la salle, le petit homme prit lui-même sa valise et la garda près de lui, en s'asseyant sans cérémonie à table devant les deux sous-aides. "Allez coucher à votre bateau, dit-il aux mariniers, puisque l'auberge est pleine. Tout bien considéré, cela vaudra mieux. — Monsieur, dit l'hôte au nouvel arrivé, voilà tout ce qui me reste de provisions." Et il montrait le souper servi aux deux Français. "Je n'ai pas une croûte de pain, pas un os. — Et de la choucroute ? — Pas de quoi mettre dans le dé de ma femme ! Comme j'ai eu l'honneur de vous le dire, vous ne pouvez avoir d'autre lit que la chaise sur laquelle vous êtes, et d'autre chambre que cette salle." À ces mots, le petit homme jeta sur l'hôte, sur la salle et sur les deux Français un regard où la prudence et l'effroi se peignirent également.

« Ici je dois vous faire observer, dit M. Hermann en s'interrompant, que nous n'avons jamais su ni le véritable nom ni l'histoire de cet inconnu ; seulement, ses papiers ont appris qu'il venait d'Aix-la-Chapelle ; il avait pris le nom de Walhenfer, et possédait aux environs de Neuwied une manufacture d'épingles assez considérable. Comme tous les fabricants de ce pays, il portait une redingote de drap commun, une culotte et un gilet en velours vert foncé, des bottes et une large ceinture de cuir. Sa figure était toute ronde, ses manières franches et cordiales ; mais pendant cette soirée il lui fut très difficile de déguiser entièrement des appréhensions secrètes ou peut-être de cruels soucis. L'opinion de l'aubergiste a toujours été que ce négociant allemand fuyait son pays. Plus tard, j'ai su que sa fabrique avait été brûlée par un de ces hasards malheureusement si fréquents en temps de guerre. Malgré son expression généralement soucieuse, sa physionomie annonçait une grande bonhomie. Il avait de beaux traits, et surtout un large cou dont la blancheur était si bien relevée par une cravate noire, que Wilhem le montra par raillerie à Prosper... »

Ici, M. Taillefer but un verre d'eau.

« Prosper offrit avec courtoisie au négociant de partager leur souper, et Walhenfer accepta sans façon, comme un homme qui se sentait en mesure de reconnaître cette politesse ; il coucha sa valise à terre, mit ses pieds dessus, ôta son chapeau, s'attabla, se débarrassa de ses gants et de deux pistolets qu'il avait à sa ceinture. L'hôte lui ayant promptement donné un couvert, les trois convives commencèrent à satisfaire assez silencieusement leur appétit. L'atmosphère de la salle était si chaude et les mouches si nombreuses, que Prosper pria l'hôte d'ouvrir la croisée qui donnait sur la porte, afin de renouveler l'air. Cette fenêtre était barricadée par une barre de fer dont les deux bouts entraient dans des trous pratiqués aux deux coins de l'embrasure. Pour plus de sécurité, deux écrous, attachés à chacun des volets, recevaient deux vis.

Par hasard, Prosper examina la manière dont s'y prenait l'hôte pour ouvrir la fenêtre.

« Mais, puisque je vous parle des localités, nous dit M. Hermann, je dois vous dépeindre les dispositions intérieures de l'auberge ; car, de la connaissance exacte des lieux, dépend l'intérêt de cette histoire. La salle où se trouvaient les trois personnages dont je vous parle avait deux portes de sortie. L'une donnait sur le chemin d'Andernach qui longe le Rhin. Là, devant l'auberge, se trouvait naturellement un petit débarcadère où le bateau, loué par le négociant pour son voyage, était amarré. L'autre porte avait sa sortie sur la cour de l'auberge. Cette cour était entourée de murs très élevés, et remplie, pour le moment, de bestiaux et de chevaux, les écuries étant pleines de monde. La grande porte venait d'être si soigneusement barricadée, que, pour plus de promptitude, l'hôte avait fait entrer le négociant et les mariniers par la porte de la salle qui donnait sur la rue. Après avoir ouvert la fenêtre, selon le désir de Prosper Magnan, il se mit à fermer cette porte, glissa les barres dans leurs trous, et vissa les écrous. La chambre de l'hôte, où devaient coucher les deux sous-aides, était contiguë à la salle commune, et se trouvait séparée par un mur assez léger de la cuisine, où l'hôtesse et son mari devaient probablement passer la nuit. La servante venait de sortir, et d'aller chercher son gîte dans quelque crèche, dans le coin d'un grenier, ou partout ailleurs. Il est facile de comprendre que la salle commune, la chambre de l'hôte et la cuisine, étaient en quelque sorte isolées du reste de l'auberge. Il y avait dans la cour deux gros chiens, dont les aboiements graves annonçaient des gardiens vigilants et très irritables. "Quel silence et quelle belle nuit !" dit Wilhem en regardant le ciel, lorsque l'hôte eut fini de fermer la porte. Alors le clapotis des flots était le seul bruit qui se fît entendre. "Messieurs, dit le négociant aux deux Français, permettez-moi de vous offrir quelques bouteilles de vin pour arroser votre carpe. Nous nous délasserons de la fatigue de la journée en buvant. À votre air et à l'état de vos vêtements, je vois que, comme moi, vous avez fait bien du chemin aujourd'hui." Les deux amis acceptèrent, et l'hôte sortit par la porte de la cuisine pour aller à sa cave, sans doute située sous cette partie du bâtiment. Lorsque cinq vénérables bouteilles, apportées par l'aubergiste, furent sur la table, sa femme achevait de servir le repas. Elle donna à la salle et aux mets son coup d'œil de maîtresse de maison ; puis, certaine d'avoir prévenu toutes les exigences des voyageurs, elle rentra dans la cuisine. Les quatre convives, car l'hôte fut invité à boire, ne l'entendirent pas se coucher ; mais, plus tard, pendant les intervalles de silence qui séparèrent les causeries des buveurs, quelques ronflements très accentués, rendus encore plus sonores par les planches creuses de la soupente où elle s'était nichée, firent sourire les amis, et surtout l'hôte. Vers minuit, lorsqu'il n'y eut plus sur la table que des biscuits, du fromage, des fruits secs et du bon vin, les convives, principalement les deux jeunes Français, devinrent communicatifs. Ils parlèrent de leur pays, de leurs études, de la guerre. Enfin, la conversation s'anima. Prosper Magnan fit venir quelques larmes dans les yeux du négociant fugitif, quand, avec cette franchise picarde et la naïveté d'une nature bonne et tendre, il supposa ce que devait faire sa mère au moment où il se trouvait, lui, sur les bords du Rhin. "Je la vois, disait-il, lisant sa prière du soir avant de se coucher ! Elle ne m'oublie certes pas, et doit se demander : 'Où est-il, mon pauvre Prosper ?' Mais si elle a gagné au jeu quelques sous à sa voisine, — à ta mère, peut-être, ajouta-t-il en poussant le coude de Wilhem, elle va les mettre dans le grand pot de terre rouge où elle amasse la somme nécessaire à l'acquisition des trente arpents enclavés dans son petit domaine de Lescheville. Ces trente arpents valent bien environ soixante mille francs. Voilà de bonnes prairies. Ah ! si je les avais un jour, je vivrais toute ma vie à Lescheville, sans ambition ! Combien de fois mon père a-t-il désiré ces trente arpents et le joli ruisseau qui serpente dans ces prés-là ! Enfin, il est mort sans pouvoir les acheter. J'y ai bien souvent joué ! — Monsieur Walhenfer, n'avez-vous pas aussi votre *hoc erat in votis*[1] ? de-

1. *Hoc erat in votis* : « Ceci était l'objet de mes vœux » (Horace, *Satires*, II, 6).

manda Wilhem. — Oui monsieur, oui ! mais il était tout venu, et, maintenant…" Le bonhomme garda le silence, sans achever sa phrase. "Moi, dit l'hôte dont le visage s'était légèrement empourpré, j'ai, l'année dernière, acheté un clos que je désirais avoir depuis dix ans." Ils causèrent ainsi en gens dont la langue était déliée par le vin, et prirent les uns pour les autres cette amitié passagère de laquelle nous sommes peu avares en voyage, en sorte qu'au moment où ils allèrent se coucher, Wilhem offrit son lit au négociant. "Vous pouvez d'autant mieux l'accepter, lui dit-il, que je puis coucher avec Prosper. Ce ne sera, certes, ni la première ni la dernière fois. Vous êtes notre doyen, nous devons honorer la vieillesse ! — Bah ! dit l'hôte, le lit de ma femme a plusieurs matelas, vous en mettrez un par terre." Et il alla fermer la croisée, en faisant le bruit que comportait cette prudente opération. "J'accepte, dit le négociant. J'avoue, ajouta-t-il en baissant la voix et regardant les deux amis, que je le désirais. Mes bateliers me semblent suspects. Pour cette nuit, je ne suis pas fâché d'être en compagnie de deux braves et bons jeunes gens, de deux militaires français ! J'ai cent mille francs en or et en diamants dans ma valise !" L'affectueuse réserve avec laquelle cette imprudente confidence fut reçue par les deux jeunes gens rassura le bon Allemand. L'hôte aida ses voyageurs à défaire un des lits. Puis, quand tout fut arrangé pour le mieux, il leur souhaita le bonsoir et alla se coucher. Le négociant et les deux sous-aides plaisantèrent sur la nature de leurs oreillers. Prosper mettait sa trousse d'instruments et celle de Wilhem sous son matelas, afin de l'exhausser et de remplacer le traversin qui lui manquait, au moment où, par un excès de prudence, Walhenfer plaçait sa valise sous son chevet. "Nous dormirons tous deux sur notre fortune : vous, sur votre or ; moi, sur ma trousse ! Reste à savoir si mes instruments me vaudront autant d'or que vous en avez acquis. — Vous pouvez l'espérer, dit le négociant. Le travail et la probité viennent à bout de tout, mais ayez de la patience." Bientôt Walhenfer et Wilhem s'endormirent. Soit que son lit fût trop dur, soit que son extrême fatigue fût une cause d'insomnie, soit par une fatale disposition d'âme, Prosper Magnan resta éveillé. Ses pensées prirent insensiblement une mauvaise pente. Il songea très exclusivement aux cent mille francs sur lesquels dormait le négociant. Pour lui, cent mille francs étaient une immense fortune tout venue. Il commença par les employer de mille manières différentes, en faisant des châteaux en Espagne, comme nous en faisons tous avec tant de bonheur pendant le moment qui précède notre sommeil, à cette heure où les images naissent confuses dans notre entendement, et où souvent, par le silence de la nuit, la pensée acquiert une puissance magique. Il comblait les vœux de sa mère, il achetait les trente arpents de prairie, il épousait une demoiselle de Beauvais à laquelle la disproportion de leurs fortunes lui défendait d'aspirer en ce moment. Il s'arrangeait avec cette somme toute une vie de délices, et se voyait heureux, père de famille, riche, considéré dans sa province, et peut-être maire de Beauvais. Sa tête picarde s'enflammant, il chercha les moyens de changer ses fictions en réalités. Il mit une chaleur extraordinaire à combiner un crime en théorie. Tout en rêvant la mort du négociant, il voyait distinctement l'or et les diamants. Il en avait les yeux éblouis. Son cœur palpitait. La délibération était déjà sans doute un crime. Fasciné par cette masse d'or, il s'enivra moralement par des raisonnements assassins. Il se demanda si ce pauvre Allemand avait bien besoin de vivre, et supposa qu'il n'avait jamais existé. Bref, il conçut le crime de manière à en assurer l'impunité. L'autre rive du Rhin était occupée par les Autrichiens ; il y avait au bas des fenêtres une barque et des bateliers ; il pouvait couper le cou de cet homme, le jeter dans le Rhin, se sauver par la croisée avec la valise, offrir de l'or aux mariniers, et passer en Autriche. Il alla jusqu'à calculer le degré d'adresse qu'il avait su acquérir en se servant de ses instruments de chirurgie, afin de trancher la tête de sa victime de manière à ce qu'elle ne poussât pas un seul cri… »

Là M. Taillefer s'essuya le front et but encore un peu d'eau.

« Prosper se leva lentement et sans faire aucun bruit. Certain de n'avoir réveillé personne, il s'habilla, se rendit dans la salle commune ; puis, avec cette fatale intelligence que l'homme trouve soudainement en lui, avec cette puissance de tact et de volonté qui ne manque jamais ni aux prisonniers ni aux criminels dans l'accomplissement de leurs projets, il dévissa les barres de fer, les sortit de leurs trous sans faire le plus léger bruit, les plaça près du mur, et ouvrit les volets en pesant sur les gonds afin d'en assourdir les grincements. La lune ayant jeté sa pâle clarté sur cette scène, lui permit de voir faiblement les objets dans la chambre où dormaient Wilhem et Walhenfer. Là, il m'a dit s'être un moment arrêté. Les palpitations de son cœur étaient si fortes, si profondes, si sonores, qu'il en avait été comme épouvanté. Puis il craignait de ne pouvoir agir avec sang-froid ; ses mains tremblaient, et la plante de ses pieds lui paraissait appuyée sur des charbons ardents. Mais l'exécution de son dessein était accompagnée de tant de bonheur, qu'il vit une espèce de prédestination dans cette faveur du sort. Il ouvrit la fenêtre, revint dans la chambre, prit sa trousse, y chercha l'instrument le plus convenable pour achever son crime. "Quand j'arrivai près du lit, me dit-il, je me recommandai machinalement à Dieu." Au moment où il levait le bras en rassemblant toute sa force, il entendit en lui comme une voix, et crut apercevoir une lumière. Il jeta l'instrument sur son lit, se sauva dans l'autre pièce, et vint se placer à la fenêtre.

Là, il conçut la plus profonde horreur pour lui-même ; et sentant néanmoins sa vertu faible, craignant encore de succomber à la fascination à laquelle il était en proie, il sauta vivement sur le chemin et se promena le long du Rhin, en faisant pour ainsi dire sentinelle devant l'auberge. Souvent il atteignait Andernach dans sa promenade précipitée ; souvent aussi ses pas le conduisaient au versant par lequel il était descendu pour arriver à l'auberge ; mais le silence de la nuit était si profond, il se fiait si bien sur les chiens de garde, que, parfois, il perdit de vue la fenêtre qu'il avait laissée ouverte. Son but était de se lasser et d'appeler le sommeil. Cependant, en marchant ainsi sous un ciel sans nuages, en en admirant les belles étoiles, frappé peut-être aussi par l'air pur de la nuit et par le bruissement mélancolique des flots, il tomba dans une rêverie qui le ramena par degrés à de saines idées de morale. La raison finit par dissiper complètement sa frénésie momentanée. Les enseignements de son éducation, les préceptes religieux, et surtout, m'a-t-il dit, les images de la vie modeste qu'il avait jusqu'alors menée sous le toit paternel, triomphèrent de ses mauvaises pensées. Quand il revint, après une longue méditation au charme de laquelle il s'était abandonné sur le bord du Rhin, en restant accoudé sur une grosse pierre, il aurait pu, m'a-t-il dit, non pas dormir, mais veiller près d'un milliard en or. Au moment où sa probité se releva fière et forte de ce combat, il se mit à genoux dans un sentiment d'extase et de bonheur, remercia Dieu, se trouva heureux, léger, content, comme au jour de sa première communion, où il s'était cru digne des anges, parce qu'il avait passé la journée sans pécher ni en paroles, ni en actions, ni en pensée. Il revint à l'auberge, ferma la fenêtre sans craindre de faire du bruit, et se mit au lit sur-le-champ. Sa lassitude morale et physique le livra sans défense au sommeil. Peu de temps après avoir posé sa tête sur son matelas, il tomba dans cette somnolence première et fantastique qui précède toujours un profond sommeil. Alors les sens s'engourdissent, et la vie s'abolit graduellement ; les pensées sont incomplètes, et les derniers tressaillements de nos sens simulent une sorte de rêverie. "Comme l'air est lourd, se dit Prosper. Il me semble que je respire une vapeur humide." Il s'expliqua vaguement cet effet de l'atmosphère par la différence qui devait exister entre la température de la chambre et l'air pur de la campagne. Mais il entendit bientôt un bruit périodique assez semblable à celui que font les gouttes d'eau d'une fontaine en tombant du robinet. Obéissant à une terreur panique, il voulut se lever et appeler l'hôte, réveiller le négociant ou Wilhem ; mais il se souvint alors, pour son malheur, de l'horloge de bois ; et croyant reconnaître le mouvement du balancier, il s'endormit dans cette indistincte et confuse perception. »

« Voulez-vous de l'eau, monsieur Taillefer ? » dit le maître de la maison, en voyant le banquier prendre machinalement la carafe.

Elle était vide.

M. Hermann continua son récit, après la légère pause occasionnée par l'observation du banquier.

« Le lendemain matin, dit-il, Prosper Magnan fut réveillé par un grand bruit. Il lui semblait avoir entendu des cris perçants, et il ressentait ce violent tressaillement de nerfs que nous subissons lorsque nous achevons, au réveil, une sensation pénible commencée pendant notre sommeil. Il s'accomplit en nous un fait physiologique, un sursaut, pour me servir de l'expression vulgaire, qui n'a pas encore été suffisamment observé, quoiqu'il contienne des phénomènes curieux pour la science. Cette terrible angoisse, produite peut-être par une réunion trop subite de nos deux natures, presque toujours séparées pendant le sommeil, est ordinairement rapide ; mais elle persista chez le pauvre sous-aide, s'accrut même tout à coup, et lui causa la plus affreuse horripilation, quand il aperçut une mare de sang entre son matelas et le lit de Walhenfer. La tête du pauvre Allemand gisait à terre, le corps était resté dans le lit. Tout le sang avait jailli par le cou. En voyant les yeux encore ouverts et fixes, en voyant le sang qui avait taché ses draps et même ses mains, en reconnaissant son instrument de chirurgie sur le lit, Prosper Magnan s'évanouit, et tomba dans le sang de Walhenfer. "C'était déjà, m'a-t-il dit, une punition de mes pensées." Quand il reprit connaissance, il se trouva dans la salle commune. Il était assis sur une chaise, environné de soldats français et devant une foule attentive et curieuse. Il regarda stupidement un officier républicain occupé à recueillir les dépositions de quelques témoins, et à rédiger sans doute un procès-verbal. Il reconnut l'hôte, sa femme, les deux mariniers et la servante de l'auberge. L'instrument de chirurgie dont s'était servi l'assassin… »

Ici M. Taillefer toussa, tira son mouchoir de poche pour se moucher, et s'essuya le front. Ces mouvements assez naturels ne furent remarqués que par moi ; tous les convives avaient les yeux attachés sur M. Hermann, et l'écoutaient avec une sorte d'avidité. Le fournisseur appuya son coude sur la table, mit sa tête dans sa main droite, et regarda fixement Hermann. Dès lors, il ne laissa plus échapper aucune marque d'émotion ni d'intérêt ; mais sa physionomie resta pensive et terreuse, comme au moment où il avait joué avec le bouchon de la carafe.

« L'instrument de chirurgie dont s'était servi l'assassin se trouvait sur la table avec la trousse, le portefeuille et les papiers de Prosper. Les regards de l'assemblée se dirigeaient alternativement sur ces pièces de conviction et sur le jeune homme, qui paraissait mourant, et dont les yeux éteints semblaient ne rien voir. La rumeur confuse qui se faisait entendre au-dehors accusait la présence de la foule attirée devant l'auberge par la nouvelle du crime, et peut-être aussi par le désir de connaître l'assassin. Les pas des sentinelles placées sous les fenêtres de la salle, le bruit de leurs fusils dominaient le murmure des conversations populaires ; mais l'auberge était fermée, la cour était vide et silencieuse. Incapable de soutenir le regard de l'officier qui verbalisait, Prosper Magnan se sentit la main pressée par un homme, et leva les yeux pour voir quel était son protecteur parmi cette foule ennemie. Il reconnut, à l'uniforme, le chirurgien-major de la demi-brigade cantonnée à Andernach. Le regard de cet homme était si perçant, si sévère, que le pauvre jeune homme en frissonna, et laissa aller sa tête sur le dos de la chaise. Un soldat lui fit respirer du vinaigre, et il reprit aussitôt connaissance. Cependant, ses yeux hagards parurent tellement privés de vie et d'intelligence, que le chirurgien dit à l'officier, après avoir tâté le pouls de Prosper : "Capitaine, il est impossible d'interroger cet homme-là dans ce moment-ci. — Eh bien ! emmenez-le, répondit le capitaine en interrompant le chirurgien et en s'adressant à un caporal qui se trouvait derrière le sous-aide. — Sacré lâche, lui dit à voix basse le soldat, tâche au moins de marcher ferme devant ces mâtins d'Allemands, afin de sauver l'honneur de la République." Cette interpellation réveilla Prosper Magnan, qui se leva, fit quelques pas ; mais lorsque la porte s'ouvrit, qu'il se sentit frappé par l'air extérieur, et qu'il vit entrer la foule, ses forces l'abandonnèrent, ses genoux fléchirent, il chancela. "Ce tonnerre de carabin-là mérite deux fois la mort ! Marche donc ! dirent les deux soldats qui lui prêtaient le secours de leurs bras afin de le soutenir. — Oh ! le lâche ! le lâche ! C'est lui ! c'est lui ! le voilà ! le voilà !" Ces mots lui semblaient dits par une seule voix, la voix tumultueuse de la foule qui l'accompagnait en l'injuriant, et grossissait à chaque pas. Pendant le trajet de l'auberge à la prison, le tapage que le peuple et les soldats faisaient en marchant, le murmure des différents colloques, la vue du ciel et la fraîcheur de l'air, l'aspect d'Andernach et le frissonnement des eaux du Rhin, ces impressions arrivaient à l'âme du sous-aide, vagues, confuses, ternes comme toutes les sensations qu'il avait éprouvées depuis son réveil. Par moments il croyait, m'a-t-il dit, ne plus exister.

« J'étais alors en prison, dit M. Hermann en s'interrompant. Enthousiaste comme nous le sommes tous à vingt ans, j'avais voulu défendre mon pays, et commandais une compagnie franche que j'avais organisée aux environs d'Andernach. Quelques jours auparavant, j'étais tombé pendant la nuit au milieu d'un détachement français composé de huit cents hommes. Nous étions tout au plus deux cents. Mes espions m'avaient vendu. Je fus jeté dans la prison d'Andernach. Il s'agissait alors de me fusiller, pour faire un exemple qui intimidât le pays. Les Français parlaient aussi de représailles, mais le meurtre dont les républicains voulaient tirer vengeance sur moi ne s'était pas commis dans l'Électorat. Mon père avait obtenu un sursis de trois jours, afin de pouvoir aller demander ma grâce au général Augereau, qui la lui accorda. Je vis donc Prosper Magnan au moment où il entra dans la prison d'Andernach, et il m'inspira la plus profonde pitié. Quoiqu'il fût pâle, défait, taché de sang, sa physionomie avait un caractère de candeur et d'innocence qui me frappa vivement. Pour moi, l'Allemagne respirait dans ses longs cheveux blonds, dans ses yeux bleus. Véritable image de mon pays défaillant, il m'apparut comme une victime et non comme un meurtrier. Au moment où il passa sous ma fenêtre, il jeta, je ne sais où, le sourire amer et mélancolique d'un aliéné qui retrouve une fugitive lueur de raison. Ce sourire n'était certes pas celui d'un assassin. Quand je vis le geôlier, je le questionnai sur son nouveau prisonnier. "Il n'a pas parlé depuis qu'il est dans son cachot. Il s'est assis, a mis sa tête entre ses mains, et dort ou réfléchit à son affaire. À entendre les Français, il aura son compte demain matin, et sera fusillé dans les vingt-quatre heures." Je demeurai le soir sous la fenêtre du prisonnier, pendant le court instant qui m'était accordé pour faire une promenade dans la cour de la prison. Nous causâmes ensemble, et il me raconta naïvement son aventure, en répondant avec assez de justesse à mes différentes questions. Après cette première conversation, je ne doutai plus de son innocence. Je demandai, j'obtins la faveur de rester quelques heures près de lui. Je le vis donc à plusieurs reprises, et le pauvre enfant m'initia sans détour à toutes ses pensées. Il se croyait à la fois innocent et coupable. Se souvenant de l'horrible tentation à laquelle il avait eu la force de résister, il craignait d'avoir accompli, pendant son sommeil et dans un accès de somnambulisme, le crime qu'il rêvait, éveillé. "Mais votre compagnon ? lui dis-je. — Oh ! s'écria-t-il avec feu, Wilhem est incapable…" Il n'acheva même pas. À cette parole chaleureuse, pleine de jeunesse et de vertu, je lui serrai la main. "À son réveil, reprit-il, il aura sans doute été épouvanté, il aura perdu la tête, il se sera sauvé. — Sans vous éveiller, lui dis-je. Mais alors votre défense sera facile, car la valise de Walhenfer n'aura pas été volée." Tout à coup il fondit en larmes. "Oh ! oui, je suis innocent, s'écria-t-il. Je n'ai pas tué. Je me souviens de mes songes. Je jouais aux barres avec mes camarades de collège. Je n'ai pas dû couper la tête de ce négociant, en rêvant que je courais."

Puis, malgré les lueurs d'espoir qui parfois lui rendirent un peu de calme, il se sentait toujours écrasé par un remords. Il avait bien certainement levé le bras pour trancher la tête du négociant. Il se faisait justice, et ne se trouvait pas le cœur pur, après avoir commis le crime dans sa pensée. "Et cependant ! je suis bon ! s'écriait-il. Ô ma pauvre mère ! Peut-être en ce moment joue-t-elle gaiement à l'impériale[1] avec ses voisines dans son petit salon de tapisserie. Si elle savait que j'ai seulement levé la main pour assassiner un homme… oh ! elle mourrait ! Et je suis en prison, accusé d'avoir commis un crime. Si je n'ai pas tué cet homme, je tuerai certainement ma mère !" À ces mots il ne pleura pas ; mais, animé de cette fureur courte et vive assez familière aux Picards, il s'élança vers la muraille, et, si je ne l'avais retenu, il s'y serait brisé la tête. "Attendez votre jugement, lui dis-je. Vous serez acquitté, vous êtes innocent. Et votre mère… — Ma mère, s'écria-t-il avec fureur, elle apprendra mon accusation avant tout. Dans les petites villes, cela se fait ainsi, la pauvre femme en mourra de chagrin. D'ailleurs, je ne suis pas innocent. Voulez-vous savoir toute la vérité ? Je sens que j'ai perdu la virginité de ma conscience." Après ce terrible mot, il s'assit, se croisa les bras sur la poitrine, inclina la tête, et regarda la terre d'un air sombre. En ce moment, le

1. « L'impériale » : jeu de cartes.

porte-clefs vint me prier de rentrer dans ma chambre ; mais, fâché d'abandonner mon compagnon en un instant où son découragement me paraissait si profond, je le serrai dans mes bras avec amitié. "Prenez patience, lui dis-je, tout ira bien, peut-être. Si la voix d'un honnête homme peut faire taire vos doutes, apprenez que je vous estime et vous aime. Acceptez mon amitié, et dormez sur mon cœur, si vous n'êtes pas en paix avec le vôtre." Le lendemain, un caporal et quatre fusiliers vinrent chercher le sous-aide vers neuf heures. En entendant le bruit que firent les soldats, je me mis à ma fenêtre. Lorsque le jeune homme traversa la cour, il jeta les yeux sur moi. Jamais je n'oublierai ce regard plein de pensées, de pressentiments, de résignation, et de je ne sais quelle grâce triste et mélancolique. Ce fut une espèce de testament silencieux et intelligible par lequel un ami léguait sa vie perdue à son dernier ami. La nuit avait sans doute été bien dure, bien solitaire pour lui ; mais aussi peut-être la pâleur empreinte sur son visage accusait-elle un stoïcisme puisé dans une nouvelle estime de lui-même. Peut-être s'était-il purifié par un remords, et croyait-il laver sa faute dans sa douleur et dans sa honte. Il marchait d'un pas ferme ; et, dès le matin, il avait fait disparaître les taches de sang dont il s'était involontairement souillé. "Mes mains y ont fatalement trempé pendant que je dormais, car mon sommeil est toujours très agité", m'avait-il dit la veille, avec un horrible accent de désespoir. J'appris qu'il allait comparaître devant un conseil de guerre. La division devait, le surlendemain, se porter en avant, et le chef de demi-brigade ne voulait pas quitter Andernach sans faire justice du crime sur les lieux mêmes où il avait été commis… Je restai dans une mortelle angoisse pendant le temps que dura ce conseil. Enfin, vers midi, Prosper Magnan fut ramené en prison. Je faisais en ce moment ma promenade accoutumée ; il m'aperçut, et vint se jeter dans mes bras. "Perdu, me dit-il. Je suis perdu sans espoir ! Ici, pour tout le monde, je serai donc un assassin." Il releva la tête avec fierté. "Cette injustice m'a rendu tout entier à mon innocence. Ma vie aurait toujours été troublée, ma mort sera sans reproche. Mais, y a-t-il un avenir ?" Tout le dix-huitième siècle était dans cette interrogation soudaine. Il resta pensif. "Enfin, lui dis-je, comment avez-vous répondu ? que vous a-t-on demandé ? n'avez-vous pas dit naïvement le fait comme vous me l'avez raconté ?" Il me regarda fixement pendant un moment ; puis, après cette pause effrayante, il me répondit avec une fiévreuse vivacité de paroles : "Ils m'ont demandé d'abord : 'Êtes-vous sorti de l'auberge pendant la nuit ?' J'ai dit : 'Oui. — Par où ?' J'ai rougi, et j'ai répondu : 'Par la fenêtre. — Vous l'avez donc ouverte ? — Oui ! ai-je dit. — Vous y avez mis bien de la précaution. L'aubergiste n'a rien entendu !' Je suis resté stupéfait. Les mariniers ont déclaré m'avoir vu me promenant, allant tantôt à Andernach, tantôt vers la forêt. — J'ai fait, disent-ils, plusieurs voyages. J'ai enterré l'or et les diamants. Enfin, la valise ne s'est pas retrouvée ! Puis j'étais toujours en guerre avec mes remords. Quand je voulais parler : 'Tu as voulu commettre le crime !' me criait une voix impitoyable. Tout était contre moi, même moi !... Ils m'ont questionné sur mon camarade, et je l'ai complètement défendu. Alors ils m'ont dit : 'Nous devons trouver un coupable entre vous, votre camarade, l'aubergiste et sa femme ! Ce matin, toutes les fenêtres et les portes se sont trouvées fermées[1] !' — À cette observation, reprit-il, je suis resté sans voix, sans force, sans âme. Plus sûr de mon ami que de moi-même, je ne pouvais l'accuser. J'ai compris que nous étions regardés tous deux comme également complices de l'assassinat, et que je passais pour le plus maladroit ! J'ai voulu expliquer le crime par le somnambulisme, et justifier mon ami ; alors j'ai divagué. Je suis perdu. J'ai lu ma condamnation dans les

1. Quand Prosper est rentré de sa promenade nocturne, c'est lui qui a refermé les fenêtres. Dans l'obscurité, il ne voit pas que le crime est alors déjà commis et que le coupable a fui. Il s'enferme donc avec le cadavre et le bruit qu'il prend pour celui de l'horloge est celui du sang qui tombe goutte à goutte. Il s'endort aussitôt et ne découvre qu'à son réveil le spectacle qui l'accuse sans équivoque.

yeux de mes juges. Ils ont laissé échapper des sourires d'incrédulité. Tout est dit. Plus d'incertitude. Demain je serai fusillé. — Je ne pense plus à moi, reprit-il, mais à ma pauvre mère !" Il s'arrêta, regarda le ciel, et ne versa pas de larmes. Ses yeux étaient secs et fortements convulsés. "Frédéric !" Ah ! l'autre se nommait Frédéric, Frédéric ! Oui, c'est bien là le nom ! » s'écria M. Hermann d'un air de triomphe.

Ma voisine me poussa le pied, et me fit un signe en me montrant M. Taillefer. L'ancien fournisseur avait négligemment laissé tomber sa main sur ses yeux ; mais, entre les intervalles de ses doigts, nous crûmes voir une flamme sombre dans son regard.

« Hein ? me dit-elle à l'oreille. S'il se nommait Frédéric. »

Je répondis en la guignant de l'œil comme pour lui dire : « Silence ! »

Hermann reprit ainsi : « "Frédéric, s'écria le sous-aide, Frédéric m'a lâchement abandonné. Il aura eu peur. Peut-être se sera-t-il caché dans l'auberge, car nos deux chevaux étaient encore le matin dans la cour. — Quel incompréhensible mystère, ajouta-t-il après un moment de silence. Le somnambulisme, le somnambulisme ! Je n'en ai eu qu'un seul accès dans ma vie, et encore à l'âge de six ans. — M'en irai-je d'ici, reprit-il, frappant du pied sur la terre, en emportant tout ce qu'il y a d'amitié dans le monde ? Mourrai-je donc deux fois en doutant d'une fraternité commencée à l'âge de cinq ans, et continuée au collège, aux écoles ! Où est Frédéric ?" Il pleura. Nous tenons donc plus à un sentiment qu'à la vie. "Rentrons, me dit-il, je préfère être dans mon cachot. Je ne voudrais pas qu'on me vît pleurant. J'irai courageusement à la mort, mais je ne sais pas faire de l'héroïsme à contretemps, et j'avoue que je regrette ma jeune et belle vie. Pendant cette nuit je n'ai pas dormi ; je me suis rappelé les scènes de mon enfance, et me suis vu courant dans ces prairies dont le souvenir a peut-être causé ma perte. — J'avais de l'avenir, me dit-il en s'interrompant. Douze hommes ; un sous-lieutenant qui criera : 'Portez armes, en joue, feu !' un roulement de tambours ; et l'infamie ! voilà mon avenir maintenant. Oh ! il y a un Dieu, ou tout cela serait par trop niais." Alors il me prit et me serra dans ses bras en m'étreignant avec force. "Ah ! vous êtes le dernier homme avec lequel j'aurai pu épancher mon âme. Vous serez libre, vous ! vous verrez votre mère ! Je ne sais si vous êtes riche ou pauvre, mais qu'importe ! vous êtes le monde entier pour moi. Ils ne se battront pas toujours, ceux-ci. Eh bien, quand ils seront en paix, allez à Beauvais. Si ma mère survit à la fatale nouvelle de ma mort, vous l'y trouverez. Dites-lui ces consolantes paroles : 'Il était innocent !' — Elle vous croira, reprit-il. Je vais lui écrire ; mais vous lui porterez mon dernier regard, vous lui direz que vous êtes le der-

48

nier homme que j'aurai embrassé. Ah ! combien elle vous aimera, la pauvre femme ! vous qui aurez été mon dernier ami. — Ici, dit-il après un moment de silence pendant lequel il resta comme accablé sous le poids de ses souvenirs, chefs et soldats me sont inconnus, et je leur fais horreur à tous. Sans vous, mon innocence serait un secret entre le ciel et moi." Je lui jurai d'accomplir saintement ses dernières volontés. Mes paroles, mon effusion de cœur le touchèrent. Peu de temps après, les soldats revinrent le chercher et le ramenèrent au conseil de guerre. Il était condamné. J'ignore les formalités qui devaient suivre ou accompagner ce premier jugement, je ne sais pas si le jeune chirurgien défendit sa vie dans toutes les règles ; mais il s'attendait à marcher au supplice le lendemain matin, et passa la nuit à écrire à sa mère. "Nous serons libres tous deux, me dit-il en souriant, quand je l'allai voir le lendemain ; j'ai appris que le général a signé votre grâce." Je restai silencieux, et le regardai pour bien graver ses traits dans ma mémoire. Alors il prit une expression de dégoût, et me dit : "J'ai été tristement lâche ! J'ai, pendant toute la nuit, demandé ma grâce à ces murailles." Et il me montrait les murs de son cachot. "Oui, oui, reprit-il, j'ai hurlé de désespoir, je me suis révolté, j'ai subi la plus terrible des agonies morales. — J'étais seul ! Maintenant, je pense à ce que vont dire les autres... Le courage est un costume à prendre. Je dois aller décemment à la mort… Aussi…" »

LES DEUX JUSTICES

« Oh ! n'achevez pas ! s'écria la jeune personne qui avait demandé cette histoire, et qui interrompit alors brusquement le Nurembergeois. Je veux demeurer dans l'incertitude et croire qu'il a été sauvé. Si j'apprenais aujourd'hui qu'il a été fusillé, je ne dormirais pas cette nuit. Demain vous me direz le reste. »

Nous nous levâmes de table. En acceptant le bras de M. Hermann, ma voisine lui dit : « Il a été fusillé, n'est-ce pas ?

— Oui. Je fus témoin de l'exécution.

— Comment, monsieur, dit-elle, vous avez pu…

— Il l'avait désiré, madame. Il y a quelque chose de bien affreux à suivre le convoi d'un homme vivant, d'un homme que l'on aime, d'un innocent ! Ce pauvre jeune homme ne cessa pas de me regarder. Il semblait ne plus vivre qu'en moi ! Il voulait, disait-il, que je reportasse son dernier soupir à sa mère.

— Eh bien, l'avez-vous vue ?

— À la paix d'Amiens, je vins en France pour apporter à la mère cette belle parole : "Il était innocent." J'avais religieusement entrepris ce pèlerinage. Mais Mme Magnan était morte de consumption. Ce ne fut pas sans une émotion profonde que je brûlai la lettre dont j'étais porteur. Vous vous moquerez peut-être de mon exaltation germanique, mais je vis un drame de mélancolie sublime dans le secret éternel qui allait ensevelir ces adieux jetés entre deux tombes, ignorés de toute la création, comme un cri poussé au milieu du désert par le voyageur que surprend un lion.

— Et si l'on vous mettait face à face avec un des hommes qui sont dans ce salon, en vous disant : "Voilà le meurtrier !" ne serait-ce pas un autre drame ? lui demandai-je en l'interrompant. Et que feriez-vous ? »

M. Hermann alla prendre son chapeau et sortit.

« Vous agissez en jeune homme, et bien légèrement, me dit ma voisine. Regardez Taillefer ! tenez ! assis dans la bergère, là, au coin de la cheminée, Mlle Fanny lui présente une tasse de café. Il sourit. Un assassin, que le récit de cette aventure aurait dû mettre au supplice, pourrait-il montrer tant de calme ? N'a-t-il pas un air vraiment patriarcal ?

— Oui, mais allez lui demander s'il a fait la guerre en Allemagne, m'écriai-je.

— Pourquoi non ? »

Et avec cette audace dont les femmes manquent rarement lorsqu'une entreprise leur sourit, ou que leur esprit est dominé par la curiosité, ma voisine s'avança vers le fournisseur.

« Vous êtes allé en Allemagne ? » lui dit-elle.

Taillefer faillit laisser tomber sa soucoupe.

« Moi ! madame ? non, jamais.

— Que dis-tu donc là, Taillefer ! répliqua le banquier en l'interrompant, n'étais-tu pas dans les vivres, à la campagne de Wagram ?

— Ah, oui ! répondit M. Taillefer, cette fois-là, j'y suis allé. »

« Vous vous trompez, c'est un bon homme, me dit ma voisine en revenant près de moi.

— Eh bien, m'écriai-je, avant la fin de la soirée je chasserai le meurtrier hors de la fange où il se cache. »

Il se passe tous les jours sous nos yeux un phénomène moral d'une profondeur étonnante, et cependant trop simple pour être remarqué. Si dans un salon deux hommes se rencontrent, dont l'un ait le droit de mépriser ou de haïr l'autre, soit par la connaissance d'un fait intime et latent dont il est entaché, soit par un état secret, ou même par une vengeance à venir, ces deux hommes se devinent et pressentent l'abîme qui les sépare ou doit les séparer. Ils s'observent à leur insu, se préoccupent d'eux-mêmes ; leurs regards, leurs gestes, laissent transpirer une indéfinissable émanation de leur pensée, il y a un aimant entre eux. Je ne sais qui s'attire le plus fortement, de la vengeance ou du crime, de la haine ou de l'insulte. Semblables au prêtre qui ne pouvait consacrer l'hostie en présence du malin esprit, ils sont tous deux gênés, défiants : l'un est poli, l'autre sombre, je ne sais lequel ; l'un rougit ou pâlit, l'autre tremble. Souvent le vengeur est aussi lâche que la victime. Peu de gens ont le courage de produire un mal, même nécessaire ; et bien des hommes se taisent ou pardonnent en haine du bruit, ou par peur d'un dénouement tragique. Cette intussusception de nos âmes et de nos sentiments établissait une lutte mystérieuse entre le fournisseur et moi. Depuis la première interpellation que je lui avais faite pendant le récit de M. Hermann, il fuyait mes regards. Peut-être aussi évitait-il ceux de tous les convives ! Il causait avec l'inexpériente Fanny, la fille du banquier ; éprouvant sans doute, comme tous les criminels, le besoin de se rapprocher de l'innocence, en espérant trouver du repos près d'elle. Mais, quoique loin de lui, je l'écoutais, et mon œil perçant fascinait le sien. Quand il croyait pouvoir m'épier impunément, nos regards se rencontraient, et ses paupières s'abaissaient aussitôt. Fatigué de ce supplice, Taillefer s'empressa de le faire cesser en se mettant à jouer. J'allai parier pour son adversaire, mais en désirant perdre mon argent. Ce souhait fut accompli. Je remplaçai le joueur sortant, et me trouvai face à face avec le meurtrier...

« Monsieur, lui dis-je pendant qu'il me donnait des cartes, auriez-vous la complaisance de *démarquer* ? »

Il fit passer assez précipitamment ses jetons de gauche à droite. Ma voisine était venue près de moi, je lui jetai un coup d'œil significatif.

« Seriez-vous, demandai-je en m'adressant au fournisseur, M. Frédéric Taillefer, de qui j'ai beaucoup connu la famille à Beauvais ?

— Oui, monsieur », répondit-il.

Il laissa tomber ses cartes, pâlit, mit sa tête dans ses mains, pria l'un de ses parieurs de tenir son jeu, et se leva.

« Il fait trop chaud ici, s'écria-t-il. Je crains... »

Il n'acheva pas. Sa figure exprima tout à coup d'horribles souffrances, et il sortit brusquement. Le maître de la maison accompagna Taillefer, en paraissant prendre un vif intérêt à sa position. Nous nous regardâmes, ma voisine et moi ; mais je trouvai je ne sais quelle teinte d'amère tristesse répandue sur sa physionomie.

« Votre conduite est-elle bien miséricordieuse ? me demanda-t-elle en m'emmenant dans une embrasure de fenêtre au moment où je quittai le jeu après avoir perdu. Voudriez-vous accepter le pouvoir de lire dans tous les cœurs ? Pourquoi ne pas laisser agir la justice humaine et la justice divine ? Si nous échappons à l'une, nous n'évitons jamais l'autre ! Les privilèges d'un président de Cour d'assises sont-ils donc bien dignes d'envie ? Vous avez presque fait l'office du bourreau.

— Après avoir partagé, stimulé ma curiosité, vous me faites de la morale !

— Vous m'avez fait réfléchir, me répondit-elle.

— Donc, paix aux scélérats, guerre aux malheureux, et déifions l'or ! Mais, laissons cela, ajoutai-je en riant. Regardez, je vous prie, la jeune personne qui entre en ce moment dans le salon.

— Eh bien ?

— Je l'ai vue il y a trois jours au bal de l'ambassadeur de Naples ; j'en suis devenu passionnément amoureux. De grâce, dites-moi son nom. Personne n'a pu...

— C'est Mlle Victorine Taillefer ! »

J'eus un éblouissement.

« Sa belle-mère, me disait ma voisine, dont j'entendis à peine la voix, l'a retirée depuis peu du couvent où s'est tardivement achevée son éducation. Pendant longtemps son père a refusé de la reconnaître. Elle vient ici pour la première fois. Elle est bien belle et bien riche. »

Ces paroles furent accompagnées d'un sourire sardonique. En ce moment, nous entendîmes des cris violents, mais étouffés. Ils semblaient sortir d'un appartement voisin et retentissaient faiblement dans les jardins.

« N'est-ce pas la voix de M. Taillefer ? » m'écriai-je.

Nous prêtâmes au bruit toute notre attention, et d'épouvantables gémissements parvinrent à nos oreilles. La femme du banquier accourut précipitamment vers nous, et ferma la fenêtre.

« Évitons les scènes, nous dit-elle. Si Mlle Taillefer entendait son père, elle pourrait bien avoir une attaque de nerfs ! »

Le banquier rentra dans le salon, y chercha Victorine, et lui dit un mot à voix basse. Aussitôt la jeune personne jeta un cri, s'élança vers la porte et disparut. Cet événement produisit une grande sensation. Les parties cessèrent. Chacun questionna son voisin. Le murmure des voix grossit, et des groupes se formèrent.

« M. Taillefer se serait-il… demandai-je.

— Tué, s'écria ma railleuse voisine. Vous en porteriez gaiement le deuil, je pense !

— Mais que lui est-il donc arrivé ?

— Le pauvre bonhomme, répondit la maîtresse de la maison, est sujet à une maladie dont je n'ai pu retenir le nom, quoique M. Brousson me l'ait dit assez souvent, et il vient d'en avoir un accès.

— Quel est donc le genre de cette maladie ? demanda soudain un juge d'instruction.

— Oh ! c'est un terrible mal, monsieur, répondit-elle. Les médecins n'y connaissent pas de remède. Il paraît que les souffrances en sont atroces. Un jour, ce malheureux Taillefer ayant eu un accès pendant son séjour à ma terre, j'ai été obligée d'aller chez une de mes voisines pour ne pas l'entendre ; il pousse des cris terribles, il veut se tuer ; sa fille fut alors forcée de le faire attacher sur son lit, et de lui mettre la camisole des fous. Ce pauvre homme prétend avoir dans la tête des animaux qui lui rongent la cervelle : c'est des élancements, des coups de scie, des tiraillements horribles dans l'intérieur de chaque nerf. Il souffre tant à la tête qu'il ne sentait pas les moxas[1] qu'on lui appliquait jadis pour essayer de le distraire ; mais M. Brousson, qu'il a pris pour médecin, les a défendus, en prétendant que c'était une affection nerveuse, une inflammation de nerfs, pour laquelle il fallait des sangsues au cou et de l'opium sur la tête ; et, en effet, les accès sont devenus plus rares, et n'ont plus paru que tous les ans, vers la fin de l'automne. Quand il est rétabli, Taillefer répète sans cesse qu'il aurait mieux aimé être roué, que de ressentir de pareilles douleurs.

— Alors, il paraît qu'il souffre beaucoup, dit un agent de change, le bel esprit du salon.

— Oh ! reprit-elle, l'année dernière il a failli périr. Il était allé seul à sa terre, pour une affaire pressante ; faute de secours peut-être, il est resté vingt-deux heures étendu roide, et comme mort. Il n'a été sauvé que par un bain très chaud.

— C'est donc une espèce de tétanos ? demanda l'agent de change.

— Je ne sais pas, reprit-elle. Voilà près de trente ans qu'il jouit de cette maladie gagnée

---

1. Moxa : procédé de cautérisation qui, appliqué à la tête, était censé faire office d'irritant et aider à l'évacuation de la maladie.

aux armées ; il lui est entré, dit-il, un éclat de bois dans la tête en tombant dans un bateau ; mais Brousson espère le guérir. On prétend que les Anglais ont trouvé le moyen de traiter sans danger cette maladie-là par l'acide prussique[1]. »

En ce moment, un cri plus perçant que les autres retentit dans la maison et nous glaça d'horreur.

« Eh bien, voilà ce que j'entendais à tout moment, reprit la femme du banquier. Cela me faisait sauter sur ma chaise et m'agaçait les nerfs. Mais, chose extraordinaire ! ce pauvre Taillefer, tout en souffrant des douleurs inouïes, ne risque jamais de mourir. Il mange et boit comme à l'ordinaire pendant les moments de répit que lui laisse cet horrible supplice (la nature est bien bizarre !). Un médecin allemand lui a dit que c'était une espèce de goutte à la tête ; cela s'accorderait assez avec l'opinion de Brousson[2]. »

Je quittai le groupe qui s'était formé autour de la maîtresse du logis, et sortis avec Mlle Taillefer, qu'un valet vint chercher…

1. L'acide prussique, dont le nom vient du bleu de Prusse et qui se reconnaît à son odeur d'amande amère, venait d'être découvert par le Suédois Scheele. Très toxique, il provoque des vomissements, des troubles respiratoires et peut être mortel.

2. Selon Jacques Borel (*Médecine et psychiatrie balzaciennes*, José Corti, 1971, p. 119-120), il s'agirait d'épilepsie. C'est peut-être en effet l'explication de la crise qui laissa Taillefer « vingt-deux heures étendu roide ».

« Oh ! mon Dieu ! mon Dieu ! s'écria-t-elle en pleurant, qu'a donc fait mon père au ciel pour avoir mérité de souffrir ainsi ?... un être si bon ! »

Je descendis l'escalier avec elle, et en l'aidant à monter dans la voiture, j'y vis son père courbé en deux. Mlle Taillefer essayait d'étouffer les gémissements de son père en lui couvrant la bouche d'un mouchoir ; malheureusement, il m'aperçut, sa figure parut se crisper encore davantage, un cri convulsif fendit les airs, il me jeta un regard horrible, et la voiture partit.

Ce dîner, cette soirée, exercèrent une cruelle influence sur ma vie et sur mes sentiments. J'aimai Mlle Taillefer, précisément peut-être parce que l'honneur et la délicatesse m'interdisaient de m'allier à un assassin, quelque bon père et bon époux qu'il pût être. Une incroyable fatalité m'entraînait à me faire présenter dans les maisons où je savais pouvoir rencontrer Victorine. Souvent, après m'être donné à moi-même ma parole d'honneur de renoncer à la voir, le soir même je me trouvais près d'elle. Mes plaisirs étaient immenses. Mon légitime amour, plein de remords chimériques, avait la couleur d'une passion criminelle. Je me méprisais de saluer Taillefer, quand par hasard il était avec sa fille ; mais je le saluais ! Enfin, par malheur, Victorine n'est pas seulement une jolie personne ; de plus elle est instruite, remplie de talents, de grâces, sans la moindre pédanterie, sans la plus légère teinte de prétention. Elle cause avec réserve ; et son caractère a des grâces mélancoliques auxquelles personne ne sait résister ; elle m'aime, ou du moins elle me le laisse croire ; elle a un certain sourire qu'elle ne trouve que pour moi ; et pour moi, sa voix s'adoucit encore. Oh ! elle m'aime ! mais elle adore son père, mais elle m'en vante la bonté, la douceur, les qualités exquises. Ces éloges sont autant de coups de poignard qu'elle me donne dans le cœur. Un jour, je me suis trouvé presque complice du crime sur lequel repose l'opulence de la famille Taillefer : j'ai voulu demander la main de Victorine. Alors j'ai fui, j'ai voyagé, je suis allé en Allemagne, à Andernach. Mais je suis revenu. J'ai retrouvé Victorine pâle, elle avait maigri ! si je l'avais revue bien portante, gaie, j'étais sauvé ! Ma passion s'est rallumée avec une violence extraordinaire. Craignant que mes scrupules ne dégénérassent en monomanie, je résolus de convoquer un sanhédrin de consciences pures, afin de jeter quelque lumière sur ce problème de haute morale et de philosophie. La question s'était encore bien compliquée depuis mon retour. Avant-hier donc, j'ai réuni ceux de mes amis auxquels j'accorde le plus de probité, de délicatesse et d'honneur. J'avais invité deux Anglais, un secrétaire d'ambassade et un puritain ; un ancien ministre dans toute la maturité de la politique ; des jeunes gens encore sous le charme de l'innocence ; un prêtre, un vieillard ; puis mon ancien tuteur, homme naïf, qui m'a rendu le plus beau compte de tutelle dont la mémoire soit restée au Palais ; un avocat, un notaire, un juge, enfin toutes les opinions sociales, toutes les vertus pratiques. Nous avons commencé par bien dîner, bien parler, bien crier ; puis, au dessert, j'ai raconté naïvement mon histoire, et demandé quelque bon avis en cachant le nom de ma prétendue.

« Conseillez-moi, mes amis, leur dis-je en terminant. Discutez longuement la question, comme s'il s'agissait d'un projet de loi. L'urne et les boules du billard vont vous être apportées, et vous voterez pour ou contre mon mariage, dans tout le secret voulu par un scrutin ! »

Un profond silence régna soudain. Le notaire se récusa.

« Il y a, dit-il, un contrat à faire. »

Le vin avait réduit mon ancien tuteur au silence, et il fallait le mettre en tutelle pour qu'il ne lui arrivât aucun malheur en retournant chez lui.

« Je comprends ! m'écriai-je. Ne pas donner son opinion, c'est me dire énergiquement ce que je dois faire. »

Il y eut un mouvement dans l'assemblée.

Un propriétaire qui avait souscrit pour les enfants et la tombe du général Foy[1] s'écria :

Ainsi que la vertu le crime a ses degrés !

« Bavard ! » me dit l'ancien ministre à voix basse en me poussant le coude.

« Où est la difficulté ? » demanda un duc dont la fortune consiste en biens confisqués à des protestants réfractaires lors de la révocation de l'édit de Nantes.

L'avocat se leva : « En droit, l'*espèce* qui nous est soumise ne constituerait pas la moindre difficulté. Monsieur le duc a raison ! s'écria l'organe de la loi. N'y a-t-il pas prescription ? Où en serions-nous tous s'il fallait rechercher l'origine des fortunes ! Ceci est une affaire de conscience. Si vous voulez absolument porter la cause devant un tribunal, allez à celui de la pénitence. »

Le Code incarné se tut, s'assit et but un verre de vin de Champagne. L'homme chargé d'expliquer l'Évangile, le bon prêtre, se leva.

« Dieu nous a faits fragiles, dit-il avec fermeté. Si vous aimez l'héritière du crime, épousez-la, mais contentez-vous du bien matrimonial, et donnez aux pauvres celui du père.

---

1. Le général Foy (1775-1825), qui sous la Restauration avait développé des talents d'orateur à la Chambre des députés, était mort dans une pauvreté qui émut l'opinion : une souscription nationale permit de lui élever un tombeau et de doter ses enfants.

— Mais, s'écria l'un de ces ergoteurs sans pitié qui se rencontrent si souvent dans le monde, le père n'a peut-être fait un beau mariage que parce qu'il s'était enrichi. Le moindre de ses bonheurs n'a-t-il donc pas toujours été un fruit du crime ?

— La discussion est en elle-même une sentence ! Il est des choses sur lesquelles un homme ne délibère pas, s'écria mon ancien tuteur qui crut éclairer l'assemblée par une saillie d'ivresse.

— Oui ! dit le secrétaire d'ambassade.

— Oui ! » s'écria le prêtre.

Ces deux hommes ne s'entendaient pas.

Un doctrinaire[1] auquel il n'avait guère manqué que cent cinquante voix sur cent cinquante-cinq votants pour être élu, se leva.

« Messieurs, cet accident phénoménal de la nature intellectuelle est un de ceux qui sortent le plus vivement de l'état normal auquel est soumise la société, dit-il. Donc, la décision à prendre doit être un fait extemporané de notre conscience, un concept soudain, un jugement instructif, une nuance fugitive de notre appréhension intime assez semblable aux éclairs qui constituent le sentiment du goût. Votons.

— Votons ! » s'écrièrent mes convives.

1. Le trait dominant de ceux que l'on appelait alors les doctrinaires était de n'avoir nulle doctrine. Ils soutenaient une monarchie constitutionnelle, sans bien s'entendre sur son exacte définition.

Je fis donner à chacun deux boules, l'une blanche, l'autre rouge. Le blanc, symbole de la virginité, devait proscrire le mariage ; et la boule rouge, l'approuver. Je m'abstins de voter par délicatesse. Mes amis étaient dix-sept, le nombre neuf formait la majorité absolue. Chacun alla mettre sa boule dans le panier d'osier à col étroit où s'agitent les billes numérotées quand les joueurs tirent leurs places à la poule, et nous fûmes agités par une assez vive curiosité, car ce scrutin de morale épurée avait quelque chose d'original. Au dépouillement du scrutin, je trouvai neuf boules blanches ! Ce résultat ne me surprit pas ; mais je m'avisai de compter les jeunes gens de mon âge que j'avais mis parmi mes juges. Ces casuistes étaient au nombre de neuf, ils avaient tous eu la même pensée.

« Oh ! oh ! me dis-je, il y a unanimité secrète pour le mariage et unanimité pour me l'interdire ! Comment sortir d'embarras ?

— Où demeure le beau-père ? demanda étourdiment un de mes camarades de collège, moins dissimulé que les autres.

— Il n'y a plus de beau-père, m'écriai-je. Jadis ma conscience parlait assez clairement pour rendre votre arrêt superflu. Et si aujourd'hui sa voix s'est affaiblie, voici les motifs de ma couardise. Je reçus, il y a deux mois, cette lettre séductrice. »

Je leur montrai l'invitation suivante, que je tirai de mon portefeuille.

VOUS ÊTES PRIÉ D'ASSISTER AUX CONVOI, SERVICE ET ENTERREMENT DE M. JEAN-FRÉDÉRIC TAILLEFER, DE LA MAISON TAILLEFER ET COMPAGNIE, ANCIEN FOURNISSEUR DES VIVRES-VIANDES, EN SON VIVANT CHEVALIER DE LA LÉGION D'HONNEUR ET DE L'ÉPERON D'OR[1], CAPITAINE DE LA PREMIÈRE COMPAGNIE DE GRENADIERS DE LA DEUXIÈME LÉGION DE LA GARDE NATIONALE DE PARIS, DÉCÉDÉ LE PREMIER MAI DANS SON HÔTEL, RUE JOUBERT, ET QUI SE FERONT À... etc.

De la part de... etc.

« Maintenant, que faire ? repris-je. Je vais vous poser la question très largement. Il y a bien certainement une mare de sang dans les terres de Mlle Taillefer, la succession de son père est un vaste *hacelma*[2]. Je le sais. Mais Prosper Magnan n'a pas laissé d'héritiers ; mais il m'a été impossible de retrouver la famille du fabricant d'épingles assassiné à Andernach. À qui restituer la fortune ? Et doit-on restituer toute la fortune ? Ai-je le droit de trahir un secret surpris, d'augmenter d'une tête coupée la dot d'une innocente jeune fille, de lui faire faire de mauvais rêves, de lui ôter une belle illusion, de lui tuer son père une seconde fois, en lui disant : "Tous vos écus sont tachés" ? J'ai emprunté le *Diction-*

1. Éperon d'or : décoration pontificale très largement prodiguée à cette époque.
2. Pour *haceldama*, « champ du sang », du nom du terrain acheté avec les trente deniers de Judas.

naire des cas de conscience[1] à un vieil ecclésias-
tique, et n'y ai point trouvé de solution à mes
doutes. Faire une fondation pieuse pour l'âme
de Prosper Magnan, de Walhenfer, de Taillefer ?
nous sommes en plein XIXe siècle. Bâtir un hos-
pice ou instituer un prix de vertu ? le prix de
vertu sera donné à des fripons. Quant à la plupart de nos hôpitaux, ils me semblent devenus
aujourd'hui les protecteurs du vice ! D'ailleurs
ces placements plus ou moins profitables à la
vanité constitueront-ils des réparations ? et les
dois-je ? Puis j'aime, et j'aime avec passion. Mon
amour est ma vie ! Si je propose sans motif à
une jeune fille habituée au luxe, à l'élégance, à
une vie fertile en jouissance d'arts, à une jeune
fille qui aime à écouter paresseusement aux
Bouffons la musique de Rossini, si donc je lui
propose de se priver de quinze cent mille francs
en faveur de vieillards stupides ou de galeux
chimériques, elle me tournera le dos en riant,
ou sa femme de confiance me prendra pour un
mauvais plaisant ; si, dans une extase d'amour,
je lui vante les charmes d'une vie médiocre et
ma petite maison sur les bords de la Loire, si je
lui demande le sacrifice de sa vie parisienne au
nom de notre amour, ce sera d'abord un
vertueux mensonge ; puis, je ferai peut-être là
quelque triste expérience, et perdrai le cœur

1. Le *Dictionnaire des cas de conscience* est un ouvrage de l'Espa-
gnol Antonio Escobar y Mendoza, publié en 1626.

de cette jeune fille, amoureuse du bal, folle de parure, et de moi pour le moment. Elle me sera enlevée par un officier mince et pimpant, qui aura une moustache bien frisée, jouera du piano, vantera lord Byron, et montera joliment à cheval. Que faire ? Messieurs, de grâce, un conseil... ? »

L'honnête homme, cette espèce de puritain assez semblable au père de Jenny Deans[1], de qui je vous ai déjà parlé, et qui jusque-là n'avait soufflé mot, haussa les épaules en me disant : « Imbécile, pourquoi lui as-tu demandé s'il était de Beauvais ! »

Paris, mai 1831.

---

1. Jenny Deans : personnage de Walter Scott dans *Le Cœur du Mid-Lothian.*

Parutions de mai 2005

H. C. ANDERSEN — *L'elfe de la rose* et autres contes du jardin

Dix histoires pleines de poésie et de fantaisie pour redécouvrir l'univers merveilleux des contes de notre enfance avec un regard d'adulte.

COLLECTIF — *« Mourir pour toi »* Quand l'amour tue

Quelques textes pour partager le destin tragique des amoureux célèbres et découvrir comment les grands écrivains font rimer Éros avec Thanatos.

ÉPICTÈTE — *De la liberté*, précédé de *De la profession de Cynique*

Une philosophie aussi exigeante que bienveillante pour développer un véritable art de vivre.

E. HEMINGWAY — *Histoire naturelle des morts* et autres nouvelles

Cinq nouvelles d'une grande force pour témoigner des atrocités de la guerre et de ses traumatismes indélébiles.

P. ISTRATI — *Mes départs*

Anecdotes savoureuses et personnages hauts en couleur forment la trame des souvenirs de jeunesse de l'écrivain et aventurier Panaït Istrati.

H. P. LOVECRAFT — *La peur qui rôde* et autres nouvelles

Amateurs de frissons, découvrez vite ces quelques textes de l'un des maîtres de l'épouvante !

STENDHAL — *Féder ou Le Mari d'argent*

Grand peintre de l'âme humaine et des passions qui l'animent, Stendhal, dans ce court roman, n'est pas sans rappeler les plus belles pages de son chef-d'œuvre *Le Rouge et le Noir*.

J. TANIZAKI   *Le meurtre d'O-Tsuya*

Avec un talent incomparable, Tanizaki met en scène une dramatique histoire d'amour dans le Japon du XIXe siècle.

L. TOLSTOÏ   *Le réveillon du jeune tsar* et autres
                                contes

Des contes d'une vérité poignante, témoins d'une époque en train de disparaître, par l'auteur d'*Anna Karénine*.

O. WILDE   *La Ballade de la geôle de Reading*,
                                précédé de *Poèmes*

Inspiré par deux années passées dans les prisons londoniennes pour « actes indécents », Oscar Wilde raconte dans ces vers bouleversants comme un long cauchemar, la douleur, l'angoisse et la culpabilité.

Dans la même collection

R. AKUTAGAWA   *Rashômon* et autres contes (Folio n° 3931)

M. AMIS   *L'état de l'Angleterre*, précédé de *Nouvelle carrière* (Folio n° 3865)

ANONYME   *Le poisson de jade et l'épingle au phénix* (Folio n° 3961)

ANONYME   *Saga de Gísli Súrsson* (Folio n° 4098)

G. APOLLINAIRE   *Les Exploits d'un jeune don Juan* (Folio n° 3757)

ARAGON   *Le collaborateur* et autres nouvelles (Folio n° 3618)

I. ASIMOV   *Mortelle est la nuit*, précédé de *Chante-cloche* (Folio n° 4039)

H. DE BALZAC   *L'Auberge rouge* (Folio n° 4106)

T. BENACQUISTA   *La boîte noire* et autres nouvelles (Folio n° 3619)

K. BLIXEN   *L'éternelle histoire* (Folio n° 3692)

M. BOULGAKOV   *Endiablade* (Folio n° 3962)

R. BRADBURY   *Meurtres en douceur* et autres nouvelles (Folio n° 4143)

L. BROWN   *92 jours* (Folio n° 3866)

S. BRUSSOLO   *Trajets et itinéraires de l'oubli* (Folio n° 3786)

J. M. CAIN	*Faux en écritures* (Folio n° 3787)
A. CAMUS	*Jonas ou l'artiste au travail*, suivi de *La pierre qui pousse* (Folio n° 3788)
T. CAPOTE	*Cercueils sur mesure* (Folio n° 3621)
T. CAPOTE	*Monsieur Maléfique* et autres nouvelles (Folio n° 4099)
A. CARPENTIER	*Les Élus* et autres nouvelles (Folio n° 3963)
CASTANEDA	*Stopper-le-monde* (Folio n° 4144)
R. CHANDLER	*Un mordu* (Folio n° 3926)
E. M. CIORAN	*Ébauche de vertige* (Folio n° 4100)
COLLECTIF	*Au bonheur de lire* (Folio n° 4040)
COLLECTIF	*Des mots à la bouche* (Folio n° 3927)
COLLECTIF	*Il pleut des étoiles* (Folio n° 3864)
COLLECTIF	*« Leurs yeux se rencontrèrent... »* (Folio n° 3785)
COLLECTIF	*« Ma chère Maman... »* (Folio n° 3701)
COLLECTIF	*« Parce que c'était lui ; parce que c'était moi »* (Folio n° 4097)
COLLECTIF	*Un ange passe* (Folio n° 3964)
CONFUCIUS	*Les Entretiens* (Folio n° 4145)
J. CONRAD	*Jeunesse* (Folio n° 3743)
J. CORTÀZAR	*L'homme à l'affût* (Folio n° 3693)
D. DAENINCKX	*Leurre de vérité* et autres nouvelles (Folio n° 3632)
D. DAENINCKX	*Ceinture rouge*, précédé de *Corvée de bois* (Folio n° 4146)
R. DAHL	*L'invité* (Folio n° 3694)
R. DAHL	*Gelée royale*, précédé de *William et Mary* (Folio n° 4041)
S. DALI	*Les moustaches radar* (1955–1960) (Folio n° 4101)
M. DÉON	*Une affiche bleue et blanche* et autres nouvelles (Folio n° 3754)
D. DIDEROT	*Lettre sur les aveugles à l'usage de ceux qui voient* (Folio n° 4042)

R DUBILLARD — *Confession d'un fumeur de tabac français* (Folio n° 3965)

S. ENDÔ — *Le dernier souper et autres nouvelles* (Folio n° 3867)

W. FAULKNER — *Une rose pour Emily et autres nouvelles* (Folio n° 3758)

W. FAULKNER — *Le Caïd et autres nouvelles* (Folio n° 4147)

F. S. FITZGERALD — *La Sorcière rousse*, précédé de *La coupe de cristal taillé* (Folio n° 3622)

C. FUENTES — *Apollon et les putains* (Folio n° 3928)

GANDHI — *La voie de la non-violence* (Folio n° 4148)

R. GARY — *Une page d'histoire et autres nouvelles* (Folio n° 3753)

J. GIONO — *Arcadie... Arcadie*, précédé de *La pierre* (Folio n° 3623)

W. GOMBROWICZ — *Le festin chez la comtesse Fritouille et autres nouvelles* (Folio n° 3789)

H. GUIBERT — *La chair fraîche et autres textes* (Folio n° 3755)

E. HEMINGWAY — *L'étrange contrée* (Folio n° 3790)

C. HIMES — *Le fantôme de Rufus Jones et autres nouvelles* (Folio n° 4102)

E. T. A. HOFFMANN — *Le Vase d'or* (Folio n° 3791)

H. JAMES — *Daisy Miller* (Folio n° 3624)

T. JONQUET — *La folle aventure des Bleus...*, suivi de *DRH* (Folio n° 3966)

F. KAFKA — *Lettre au père* (Folio n° 3625)

J. KEROUAC — *Le vagabond américain en voie de disparition*, précédé de *Grand voyage en Europe* (Folio n° 3694)

J. KESSEL — *Makhno et sa juive* (Folio n° 3626)

R. KIPLING — *La marque de la Bête et autres nouvelles* (Folio n° 3753)

LAO SHE — *Histoire de ma vie* (Folio n° 3627)

LAO-TSEU — *Tao-tö king* (Folio n° 3696)

J. M. G. LE CLÉZIO   *Peuple du ciel*, suivi de *Les bergers* (Folio n° 3792)

P. MAGNAN   *L'arbre* (Folio n° 3697)

I. McEWAN   *Psychopolis* et autres nouvelles (Folio n° 3628)

G. DE MAUPASSANT   *Le Verrou* et autres contes grivois (Folio n° 4149)

H. MILLER   *Plongée dans la vie nocturne...*, précédé de *La boutique du Tailleur* (Folio n° 3929)

S. MINOT   *Une vie passionnante* et autres nouvelles (Folio n° 3967)

Y. MISHIMA   *Dojoji* et autres nouvelles (Folio n° 3629)

Y. MISHIMA   *Martyre*, précédé de *Ken* (Folio n° 4043)

M. DE MONTAIGNE   *De la vanité* (Folio n° 3793)

E. MORANTE   *Donna Amalia* et autres nouvelles (Folio n° 4044)

V. NABOKOV   *Un coup d'aile*, suivi de *La Vénitienne* (Folio n° 3930)

P. NERUDA   *La solitude lumineuse* (Folio n° 4103)

K. OÉ   *Gibier d'élevage* (Folio n° 3752)

L. OULITSKAÏA   *La maison de Lialia* et autres nouvelles (Folio n° 4045)

C. PAVESE   *Terre d'exil* et autres nouvelles (Folio n° 3868)

L. PIRANDELLO   *La Première nuit* et autres nouvelles (Folio n° 3794)

E. A. POE   *Aventure sans pareille d'un certain Hans Pfaall* (Folio n° 3862)

R. RENDELL   *L'Arbousier* (Folio n° 3620)

R. ROTH   *L'habit ne fait pas le moine*, précédé de *Défenseur de la foi* (Folio n° 3630)

D. A. F. DE SADE   *Ernestine. Nouvelle suédoise* (Folio n° 3698)

D. A. F. DE SADE — *La Philosophie dans le boudoir* (Les quatre premiers dialogues) (Folio n° 4150)

A. DE SAINT-EXUPÉRY — *Lettre à un otage* (Folio n° 4103)

J.-P. SARTRE — *L'enfance d'un chef* (Folio n° 3932)

B. SCHLINK — *La circoncision* (Folio n° 3869)

L. SCIASCIA — *Mort de l'Inquisiteur* (Folio n° 3631)

SÉNÈQUE — *De la constance du sage*, suivi de *De la tranquillité de l'âme* (Folio n° 3933)

G. SIMENON — *L'énigme de la* Marie-Galante (Folio n° 3863)

D. SIMMONS — *Les Fosses d'Iverson* (Folio n° 3968)

I. B. SINGER — *La destruction de Kreshev* (Folio n° 3871)

P. SOLLERS — *Liberté du XVIIIème* (Folio n° 3756)

R. L. STEVENSON — *Le Club du suicide* (Folio n° 3934)

I. SVEVO — *L'assassinat de la Via Belpoggio* et autres nouvelles (Folio n° 4151)

R. TAGORE — *La petite mariée*, suivi de *Nuage et soleil* (Folio n° 4046)

J. TANIZAKI — *Le coupeur de roseaux* (Folio n° 3969)

A. TCHEKHOV — *Une banale histoire* (Folio n° 4105)

I. TOURGUÉNIEV — *Clara Militch* (Folio n° 4047)

M. TOURNIER — *Lieux dits* (Folio n° 3699)

M. VARGAS LLOSA — *Les chiots* (Folio n° 3760)

P. VERLAINE — *Chansons pour elle et autres poèmes érotiques* (Folio n° 3700)

VOLTAIRE — *Traité sur la Tolérance* (Folio n° 3870)

H. G. WELLS — *Un rêve d'Armageddon*, précédé de *La porte dans le mur* (Folio n° 4048)

E. WHARTON — *Les lettres* (Folio n° 3935)

R. WRIGHT — *L'homme qui vivait sous terre* (Folio n° 3970)

Composition Nord Compo
Impression Novoprint
à Barcelone, le 20 février 2006
Dépôt légal : février 2006
Premier dépôt légal dans la collection: décembre 2004
ISBN 2-07-031726-3./ Imprimé en Espagne